D0358609

Dans la même collection

- *La vie des enfants de l'ancienne Égypte*
- *Ramsès II, futur pharaon*
- *La vie des enfants en Grèce ancienne*
- *La vie des enfants au temps des Gallo-Romains*
- *La vie des écoliers au Moyen Âge*
- *La vie des enfants au temps du Roi-Soleil*
- *La vie du futur roi Louis XIV*
- *Le futur empereur Napoléon*
- *Les Indiens des plaines d'Amérique*
- *La vie des enfants travailleurs pendant la révolution industrielle*
- *La vie des écoliers au temps de Jules Ferry*

Connectez-vous sur :
www.lamartiniere.fr

Conception graphique : Isabelle Southgate

Claude Grimmer

La vie des enfants au siècle des Lumières

Éditions du Sorbier

Sommaire

Introduction

▼ **Sous les yeux attendris de son mari et près de sa mère, la jeune femme donne le sein à son nouveau-né. L'allaitement est recommandé.**

En 1715, Louis XIV, le Roi-Soleil, vient de mourir. Son fils et son petit-fils étant déjà morts, son arrière petit-fils, Louis XV, lui succède. Il n'a que cinq ans. C'est son cousin Philippe d'Orléans qui devient régent, c'est-à-dire qui dirige le royaume pendant la minorité du roi. Une nouvelle période de l'histoire de France commence, appelée le siècle des Lumières en raison des nouvelles idées des philosophes qui éclairent cette époque. On croit en la raison, au progrès. On lutte contre les superstitions et l'intolérance. En 1723, Louis XV prend les rênes du pouvoir. Il est surnommé le « Bien Aimé » et la France connaît alors la paix et la prospérité économique. À sa mort, en 1774, c'est son petit-fils âgé de vingt ans, Louis XVI, qui devient roi. Il régnera avec sa jeune femme Marie-Antoinette d'Autriche jusqu'à la date de 1792 où il sera emprisonné puis décapité lors de la Révolution française.

Ombres et lumières, noir et blanc, triste et gai, voici le XVIIIe siècle (1715-1789) que vous allez découvrir. La pauvreté, l'ignorance, la maladie sont là, toujours présentes. Mais, avec le développement de l'enseignement, le souci de l'hygiène et du confort, le désir d'égalité et de liberté, arrive aussi l'espoir d'une nouvelle société. Comme aujourd'hui, les gens veulent être heureux, en famille. Et l'enfant devient une personne dont on s'occupe.

Regardez les gravures, elles nous parlent parfois de pauvreté et de solitude, mais le plus souvent elles aiment représenter des scènes heureuses de tendresse, de câlins.

▲ **L'enfant pauvre s'amuse avec un rien en regardant sa mère travailler. La blanchisseuse fait la lessive pour les plus riches. C'est un métier très pénible et mal payé.**

Naître au XVIIIe siècle

L'accouchement a lieu à la maison. Parentes et voisines vont et viennent en attendant l'événement. La sage-femme, qui remplace de plus en plus souvent la matrone* villageoise, rassure la maman. À la Cour, les premiers médecins accoucheurs font leur apparition.

Dès que le bébé est né, on le baigne dans de l'eau tiède. À la campagne, on a encore peur que l'eau rende malade et on préfère masser le nouveau-né avec de l'huile de noix ou du beurre. On s'empresse de l'habiller. Sa tête est couverte d'un triple bonnet. Le corps est revêtu d'une chemise de toile. Les bras sont allongés le long du corps, on presse les genoux pour étendre les jambes et on enferme alors entièrement le bébé dans un lange. Un second lange de laine enveloppe le tout. Enfin, on entoure l'enfant avec des bandes de toile bien serrées, c'est cela « emmailloter ». On croit que le corps sera mieux formé et que l'enfant, plus tard, se tiendra plus droit. Ainsi emmailloté, le bébé peut se porter facilement sur le bras ou sur le dos dans des hottes, paniers que l'on accroche aux poutres de la maison, ou aux branches des arbres pendant le travail aux champs.

La sage-femme s'assure de la santé du bébé. S'il semble fragile, il faut en toute hâte l'ondoyer, c'est-à-dire faire couler de l'eau bénite sur le front, en le bénissant au nom du Père, du Fils et du Saint-Esprit. S'il mourait, sa petite âme irait au paradis et non dans les limbes*. Il est alors temps de prévenir le papa.

► **S'il semble de santé fragile, le nouveau-né est baptisé immédiatement par la sage-femme. C'est l'ondoiement.**

Si c'est un garçon, on annonce la nouvelle avec grande joie, sinon, il faut quelque précaution car une fille représente beaucoup de soucis et beaucoup de dépenses ; si on veut la marier, il faut lui donner une dot*. Le bébé peut alors reposer dans le lit de sa mère ou dans un berceau en osier ou en bois sculpté.

◄ **Dans cette chambre d'un hôtel particulier, au moment de l'accouchement, le seul homme est le médecin-accoucheur. La pièce est chauffée, le berceau, richement décoré, est prêt à accueillir le bébé.**

◄ **« C'est un fils, Monsieur ! » Le père est tenu à l'écart de l'accouchement. La sage-femme et la servante viennent lui annoncer la naissance. Il n'y a pas de plus grande joie que d'avoir un garçon qui transmettra le nom de la famille.**

▼ **Souvent le bébé, dès les premiers jours, bien emmailloté, est confié par sa mère à la nourrice qui va s'en occuper pendant un ou deux ans.**

Le baptême a lieu dans les trois jours. Cette cérémonie permet de présenter l'enfant à Dieu et à la famille. Le choix du parrain et de la marraine suit des règles strictes : ils sont de la parenté, à moins que l'on préfère une personne riche, protectrice de l'enfant. Le garçon porte le prénom du parrain, la fille celui de la marraine. Il arrive que plusieurs enfants d'une même famille portent le même prénom, on les distingue par des surnoms : l'aîné, le cadet. Les prénoms les plus courants sont traditionnellement : Jean, Pierre, Marie, Anne. Il existe aussi dans chaque région des prénoms spécifiques : Yves, Géraud, Nicolas. À la fin du siècle, on voit apparaître des prénoms à la mode : Marie-Adélaïde, Dorothée, Alexandre... En cortège, la famille se rend à l'église, le nouveau-né dans les bras de sa marraine. Le prêtre, après les prières habituelles, applique le saint chrême sur le front, verse l'eau bénite sur la tête du bébé, fait le signe de la croix. On note cette cérémonie dans le registre de la paroisse. Ce baptême est l'acte de naissance officiel de l'enfant. Les juifs et les protestants ont leur propre baptême et leurs propres registres.

REGISTRE POVR
SERVIR A ECRIRE LES
BAPTESMES MARIAGE, ET
SEPVLTVRES DANS LES PARROISSES
du Ressort du Bailliage de Chaumont.

A CHAVMONT.
Il Se Vendent Chez NICOLAS LE BE.

◀ **Registre dans lequel le curé de Chaumont, en Champagne, note les baptêmes. Il sert d'état civil.**

NOËL

L'APPRENTI PÂTISSIER

Noël ne sait presque rien de sa naissance, sinon qu'il a été trouvé sur les marches de l'église Saint-Séverin à Paris, un soir de Noël, par le sonneur de cloches. Il portait une maigre couverture enroulée autour de lui et, accrochée par une épingle, une médaille en fer de la Vierge. Emporté à l'hospice, il y fut baptisé et reçut le prénom de Noël. De ses années passées à l'hospice des enfants trouvés, il ne veut rien dire. Les longues salles où s'entassaient les enfants, les petits corps morts ramassés le matin, les odeurs d'urine et de lait aigre, les punitions et les châtiments pour toute tendresse. Il tente d'oublier...

Aujourd'hui il est apprenti pâtissier, rue Saint-Honoré. Il sait qu'il a eu beaucoup de chance de ne pas se retrouver enfant soldat comme ses amis de l'hospice et qu'il a obtenu cette place grâce à la recommandation de l'abbé qui l'aimait bien.

La boutique, richement décorée, par des boiseries peintes et des glaces est l'une des plus belles de Paris. Derrière le comptoir de marbre, la patronne vend les spécialités aux riches nobles du quartier. Mais le monde de

▶ *Les enfants sont parfois abandonnés la nuit sur les marches d'une maison ou d'une église. Ils sont confiés à l'hôpital, dirigé par des religieuses.*

Noël, c'est la grande cuisine, à l'arrière. Poulets, lièvres, canards, oies côtoient les carpes et les saumons. Plus loin reposent les pâtes à choux et les tartes. Son maître appartient à la corporation des pâtissiers-traiteurs qui regroupent les artisans de l'alimentation.

Son maître est sévère mais juste. Il lui a promis de lui apprendre son métier et lui a fourni son costume de travail : tunique grise et bonnet de coton blanc. Quatre garçons plus âgés, compagnons*, travaillent

avec lui et chacun aime à le commander et à lui faire des plaisanteries. Le travail est pénible en raison de la chaleur et des horaires. Levé à l'aube, il ne finit son travail que le soir : aller chercher l'eau à la fontaine, battre les œufs, nettoyer l'atelier et les instruments, et enfin, livrer les petits échaudés. Pâtés de viande, fouaces, tartes, tourtes au fromage, gâteaux de toute sorte sont des tentations de tous les instants. Mais pas question de chaparder le moindre morceau, le renvoi serait immédiat !

Malgré les conseils de l'épouse du maître qui prend soin de lui, il sort parfois dehors en chemise respirer l'air froid du soir et jouer à la toupie ou aux osselets avec les gamins de la rue. Mais il refuse toujours l'alcool dont les compagnons abusent. Quand il rejoint sa paillasse dans le grenier qu'il partage avec deux autres apprentis, il s'endort rapidement. Il rêve qu'un jour, en livrant les brioches, une dame le reconnaîtra comme son fils grâce à la médaille qu'il porte toujours sur lui...

▼ *Les enfants pauvres jouent dans la rue aux billes, aux osselets, à la toupie.*

◀ *L'apprenti découvre le monde du travail. Chez le pâtissier-traiteur, les compagnons et les apprentis sous l'autorité du maître confectionnent gâteaux, brioches, terrines de volailles, pâtés en croûte. Il fait très chaud, le travail est pénible.*

◄ La nourrice emmène le bébé. C'est elle qui va l'allaiter pendant plus d'un an. C'est une femme de la campagne. Elle est venue à cheval et son grand chien fait peur aux enfants.

▼ Après l'allaitement, l'enfant, vers un an et demi, passe « à la cuillère » : on commence par des bouillies faites de farine et de lait.

Se nourrir

Les enfants sont nourris au sein très longtemps. La coutume veut qu'en raison de leur santé, ou de leurs occupations, les mères n'allaitent pas elles-mêmes leur bébé. Elles confient leur nouveau-né à une nourrice vivant à la campagne.

La durée de l'allaitement varie de six à vingt mois selon la taille et la force du bébé. Si l'enfant ne peut se nourrir au sein, on lui fait prendre du lait de chèvre ou de vache grâce à un biberon. Les biberons sont en verre ou en faïence. L'orifice est fermé par un petit morceau de chiffon qui s'imbibe de lait et sert de tétine.

Peu à peu, on complète ce lait par une bouillie, mélange de farine et de lait de vache, cuite sur le feu. À mesure que les mois passent, on l'épaissit pour habituer l'enfant à l'usage de la cuillère. L'enfant aime les panades, mie de pain écrasée avec du sucre et trempée dans du lait. Puis ce sont les soupes, les œufs, les compotes. La santé d'un nourrisson se mesure à son embonpoint. Les mères font refluer la graisse sous le menton pour que celui-ci ait belle allure et soit bien joufflu.

Très vite l'enfant partage le repas des adultes, qui commence par une courte prière. La richesse d'une famille se mesure à la variété des plats et à leur préparation : les sauces, les viandes rôties, les fruits exotiques, les huîtres sont présents sur la table des nobles et les enfants s'habituent rapidement à ces goûts raffinés. Pour les plus pauvres, l'essentiel est de calmer la faim. Le pain et les légumes ont une place importante. La viande, cochon et volaille, est consommée les dimanches et jours de fête. Le poisson, salé, est réservé aux jours maigres*. L'enfant apprécie le bouillon avec du pain trempé et du lard, les navets, les pois, les haricots, les fouaces ou les crêpes. Le repas se termine souvent, pour les enfants de milieu aisé, par quelques friandises : confitures, tartes aux fruits, framboises à la crème, pommes au four, gaufres, pain d'épices.

▼ **À chaque repas, on remercie Dieu pour la nourriture que l'on va prendre. C'est le bénédicité.**

◄ **Les paysans se contentent souvent de soupe.**

MARIE

LA VENDEUSE DE FRUITS

Marie est fort jolie avec ses vêtements simples mais propres, sa coiffe blanche, son fichu de couleur. Mais son regard triste est celui des enfants pauvres. Dans le galetas*, sous les toits, elle partage sa paillasse avec ses nombreux frères et sœurs. Son père, qui a eu un accident, ne peut plus travailler. Il passe son temps dans la rue ou au cabaret à boire de l'alcool. Sa mère est blanchisseuse. Sa fierté, c'est de tenir propres et dignes ses enfants.

Tôt le matin, Marie quitte la maison pour aller aux Halles. Pour quelques sous, elle achète des fruits, elle les fait briller, les dispose avec soin dans son panier puis va déambuler dans les rues en les proposant aux passants. Quand elle est fatiguée de marcher, elle s'assied sur les marches d'une église et observe les embarras de Paris : les débardeurs transportent meubles et charges avec dextérité, les porteurs d'eau courbent l'échine sous le poids des seaux, les voitures ont bien du mal à se croiser dans les ruelles et les chevaux se cabrent souvent, risquant sans cesse l'accident. Mais voici des musiciens qui accompagnent les montreurs d'ours et de singes savants !

◄ *Marie et sa mère se réchauffent en prenant un bouillon.*

▲ *Un montreur d'ours et de singes savants fait la joie des enfants, tandis qu'un carrosse essaie de traverser la place sans écraser personne. Les accidents sont nombreux dans les rues de Paris.*

Pour toute nourriture, elle avalera du pain et un hareng. Si elle a bien vendu, elle s'offrira dans l'après-midi un cornet de marrons qu'elle mangera au coin de la rue avec des compagnes qui, comme elles, vendent à la criée* et, l'été, elle ne résistera pas aux cris de « À la fraîche, à la fraîche » et boira une eau de mélisse.

Le soir, en attendant sa mère, elle s'occupe de ses jeunes frères et sœurs. Fatiguée, les pieds endoloris par les sabots, après avoir avalé un maigre bouillon, elle ne tarde pas à dormir. Mais parfois son père la réveille au milieu de la nuit par ses cris et ses jurons. Elle se serre alors contre son frère aîné et tremble. Elle a peur et elle a faim.

▲ **Illustration d'*Émile*, livre sur l'éducation écrit par Jean-Jacques Rousseau (1762). « Je me mets à rire, tout le monde rit et l'enfant rit comme les autres. »**

En famille

Un enfant sur quatre meurt avant un an, un enfant sur deux n'atteint pas ses vingt ans. La diphtérie, la variole* mais aussi tout simplement les pneumonies, en raison des chauds et froids, sont les causes de morts rapides. C'est la loi de la nature, seuls les enfants les plus robustes survivent.

Ni les médecins ni les mères n'accordent beaucoup d'importance à la propreté. La crasse ne protège-t-elle pas des microbes ? Aussi la plupart des enfants restent-ils dans leurs excréments toute la journée, leur peau est enflammée. La gale est courante. Tous les enfants du peuple ont des poux. L'apprentissage de la propreté n'est pas une obsession. Les paillasses qui servent de matelas sont composées le plus souvent de feuilles ou de paille que l'on change de temps en temps, lorsque l'odeur d'urine est trop forte. L'enfant n'a pas de couches et fait ses besoins où il veut. Quelques mères tentent de le mettre sur la chaise percée* régulièrement, mais sans grand succès. Apprendre à parler, à manger, à marcher :

La maman change bébé. Sa grande sœur sèche les langes au coin du feu.

c'est la première époque de la vie. Garçons et filles quittent le maillot vers le huitième mois et portent la robe composée d'une jupe et d'un corset* qui enserre le buste, sans oublier le bonnet rond. Les premières chaussures apparaissent.

L'enfant s'accroche à tout pour progresser, à moins qu'il ait un tuteur à roulettes appelé promenette. Les mamans les plus attentives n'oublient pas de le coiffer d'un bonnet rembourré pour amortir les chutes. Les premiers mots qu'entend et retient l'enfant sont ceux des berceuses qu'on lui chante et les mots faciles, le plus souvent en patois*, bien que dans les classes riches, les parents insistent pour que le français soit utilisé.

De nouvelles idées sur la manière d'élever les enfants apparaissent. L'écrivain Jean-Jacques Rousseau, dans son ouvrage *Émile,* prône une éducation plus libre, plus affectueuse. Pas de maillot, pas de nourrice ! Mais seules quelques familles bourgeoises mettent en pratique ces idées. Ces « nouveaux parents » aiment voir leurs enfants s'amuser dans la salle commune ou au salon, autorisent les câlineries, les petits baisers pour encourager les progrès. Ils recommandent l'hygiène : le bain régulier à l'eau froide, le changement de linge.

Pour les petites filles comme pour les garçons, l'âge de sept ans marque une rupture. Chaque famille fête ce moment important, c'est l'occasion de rappeler à l'enfant qu'il a maintenant « l'âge de raison »*. Arrive le temps de la séparation, pour l'école ou le travail.

Premier pas soutenus par le tuteur, ils font l'admiration de la famille.

ANNE

LA FILLE D'UN AVOCAT AU PARLEMENT* DE BRETAGNE

Anne, à sa naissance, fit la joie de ses parents et de ses frères. Elle était la première fille de la famille. Sa mère n'eut pas le cœur de l'abandonner aux mains d'une nourrice comme pour ses aînés et la nourrit elle-même.

▲ *Anne est ici représentée avec sa poupée. Elle porte un bonnet rembourré qui la protège des chutes lors de ses premiers pas.*

À la naissance de sa petite sœur, on décide qu'elle est devenue une grande fille. Une gouvernante s'occupe d'elle. Sa chambre est au second étage de l'hôtel particulier de ses parents. Un papier peint jaune, assorti aux rideaux, lui rappelle la couleur du canari qu'on lui a offert pour ses sept ans. Elle se lève à sept heures. Après les premières prières, la toilette est rapide : se rincer la bouche, se laver les mains. Revêtir ses jupons et sa robe, brosser ses longs cheveux, les attacher avec un ruban, enfiler ses bas et ses chaussures sont les gestes quotidiens. Elle déjeune ensuite d'un bol de lait et écoute attentivement la lecture pieuse et la leçon de morale.

Le travail à l'aiguille commence la journée et dure de huit heures à dix heures. Sa mère et sa grand-mère sont ses maîtresses. Elle prend alors la leçon de musique ; la danse lui succède. Ce fut d'abord sa gouvernante qui lui montra puis on fit venir un maître célèbre. Les leçons durent deux longues heures. Après le déjeuner et l'heure de récréation qui suit, elle reprend l'aiguille pour deux heures. Le reste du jour jusqu'au soir est destiné à la lecture. Une heure avant souper et une heure après,

Anne est libre. Elle emploie ce temps à parler avec sa mère ou à se promener seule dans le jardin.

Elle voit peu ses frères, en pension au collège, ni son père, avocat au parlement, très occupé par sa charge*. De la ville de Rennes, elle ne connaît presque rien. Si elle doit sortir, elle est toujours accompagnée de sa gouvernante et d'un serviteur qui veillent sur elle comme sur un trésor.

Le jour qu'elle préfère est celui où sa mère reçoit ses amies pour le café. Sa grande joie est de revêtir une nouvelle robe de couleur chatoyante avec des rubans sur les épaules et de la dentelle aux manches. Elle est presque aussi jolie que sa maman. Au salon, elle doit circuler lentement, à pas mesurés, observer le silence, rougir quand on lui parle et répondre doucement. Ainsi, Anne perd peu à peu son rire cristallin et ses cris. Elle devient ce que l'on attend d'elle, une jeune enfant sage, discrète, obéissante et pieuse.

Dans un an exactement, Anne quittera la maison pour entrer au couvent des Ursulines* où l'on achèvera son éducation en vue d'un mariage avec un fils de magistrat, ami de son père.

▲ *La couture et la broderie occupent les longues heures de l'après-midi sous le regard de la mère ou de la grand-mère.*

À l'école des filles, on apprend aussi à coudre.

Aller à l'école

Au XVIIIe siècle, les petites écoles se multiplient à la campagne et à la ville. Elles sont payantes mais reçoivent gratuitement quelques pauvres. On y apprend à lire, à écrire et à compter, sous l'autorité d'un maître. Les leçons de morale et de religion et le chant y occupent une grande place. Chaque jour est rythmé par les prières. Le local est simple, avec des bancs, une unique table, parfois une armoire. Dans les villages, le maître d'école est le curé, une religieuse ou une personne de bonne volonté.

L'apprentissage de la lecture est collectif. On commence par les lettres montrées dans un abécédaire* puis on forme des sons et des mots simples. Un matin, le maître ouvre l'armoire et sort le premier livre où l'on s'exerce à lire à haute voix.

Vient ensuite l'apprentissage de l'écriture avec des modèles. On s'applique à les copier avec des plumes de poule ou de corbeau sur un papier épais, l'encre est mise dans des cornets de plomb. On passe ensuite au calcul. Chaque enfant avance à son rythme.

À l'école des garçons, on apprend à lire, à écrire, à compter et les rudiments de latin. Le maître peut frapper les mauvais élèves.

Ring. Annulus. Anneau. m. Annello.
Regen. Pluvia. Pluÿe. f. Pioggia. f.
Raab. Corvus. Corbeau. m. Corvo.
Rettig. Raphanus. Refort. m. Rafano. m.
Rad. Rota. Roüe. f. Ruota. f.
Rose. Rosa. Rose. f. Rosa. f.
Rappier. Verutum. Estoc d'armes. Spada.
Rock. Vestis. Robe. f. Veste.
Rauch. Fumus. fumee. f. fumo.
Ruthe. Virgo. Verge. f. Sferza. f.

Lexique en quatre langues : allemand, latin, français et italien, les langues les plus utilisées à cette époque.

Dans les villes, les religieuses ouvrent des écoles pour les filles. On leur apprend la lecture, l'écriture, la religion et la couture.

La discipline est sévère. On utilise souvent le fouet pour punir les désobéissants et les paresseux. Les châtiments sont progressifs : coup de baguette sur les doigts, de fouet sur les mains ou sur les fesses, bonnet d'âne ; la prison, pour quelques heures, est l'ultime correction.

Les garçons des familles les plus riches vont ensuite au collège. Les cours se font encore en latin. La mémoire joue un grand rôle. Les enfants ont l'habitude de réciter par cœur des pages qu'ils comprennent mal. Des concours entre classes sont organisés et des prix distribués aux meilleurs élèves. Dans les grands collèges, il existe un internat. Mais beaucoup d'enfants sont en pension chez une logeuse.

Les filles aisées entrent au couvent pour recevoir une bonne éducation.

Plus on avance dans le siècle, plus il y a de garçons et même de filles qui savent lire, écrire et parler le français.

▼ **Les punitions sont courantes, du bonnet d'âne à la fouettée. Les bons élèves se moquent des cancres.**

▲ **L'apprentissage de la lecture peut se faire à la maison, c'est ici le rôle de la grande sœur.**

THOMAS

LE FILS D'UN MARCHAND

Thomas a eu la chance de naître dans une petite ville du Limousin, Bort, entouré de la tendresse de ses parents, de ses deux grand-mères, de sa tante et de ses nombreux frères et sœurs. La vie est simple et douce pour ce couple de marchands qui élève ses sept enfants dans le respect de Dieu et le goût du travail. Même si l'argent est rare, la famille a le nécessaire et un peu de superflu grâce au jardin et à la petite ferme héritée du grand-père.

▲ *L'écolier tient le portefeuille où il range ses affaires, il doit avoir une attitude modeste.*

◀ *Dans les campagnes, c'est le prêtre qui apprend à lire aux garçons.*

Thomas a appris à lire à l'école du prêtre qui lui donna aussi ses premières leçons de latin gratuitement. Ses parents le firent entrer, à onze ans, au collège de Mauriac, qui se trouve à cinq heures de cheval de leur domicile. Cela le remplit de fierté. Ce sont les vraies études, songe-t-il. Il loge, avec cinq camarades, chez un artisan de

▼ *Le père de retour de la chasse est accueilli par la grand-mère, qui vit avec le couple, et les nombreux enfants, qui entourent la mère.*

la ville. Chaque semaine, sa famille lui envoie des vivres : un pain de seigle, un petit fromage, un morceau de lard, un peu de viande de bœuf ou une volaille, quelques pommes. La logeuse fait la cuisine et fournit les légumes de son jardin.

Le matin, après une soupe chaude, Thomas part pour le collège, le carton sous le bras garni de livres et de papier, et son jeu de plumes d'oie à la main. À l'entrée, il salue ses professeurs : *Salve optime Pater* *. Il est huit heures l'hiver, six heures l'été. La classe commence par la prière puis c'est la récitation des leçons, la traduction de textes latins, le devoir de français ou de philosophie, le cours de mathématiques. Le surveillant chargé de la discipline recueille les devoirs, s'occupe du feu, ferme les fenêtres, fait régner l'ordre. Le maître, sur l'estrade, se consacre à son enseignement : cours et correction des devoirs. À l'étude ce soir, Thomas apprend ses leçons.

Pendant les récréations, les jeux sont animés : courses, luttes, parties de saute-mouton. Mais à la sortie, loin des maîtres, la discipline se relâche. Les écoliers de la ville sont la terreur des braves gens : ils font du bruit, volent, se bagarrent. Mais, attention à ne pas être dénoncé sous peine d'être renvoyé.

Thomas est studieux, il est le premier de sa classe. Il aime apprendre. Il ne revient chez lui que pour Noël, Pâques et les grandes vacances d'été, où il partage les jeux de ses frères et sœurs, retrouve son vieux maître le curé et ses amis. Pour Noël, pendant que toute la famille est à la messe, les grand-mères préparent en secret le repas du réveillon : soupe aux choux, plat de boudins, saucisses et andouilles, beignets de pommes. Quand la famille rentre, heureuse de retrouver la chaleur du foyer, tout est sur la table. La surprise et la joie sont les signes du succès.

Il sait que l'argent de sa famille ne suffira pas à acheter une charge de magistrat* et que le commerce n'est pas pour lui car il sera trop instruit. Il accepte donc l'idée d'être prêtre. À quinze ans, le séminaire* de Toulouse l'accueillera, sur les recommandations des pères qui ont dirigé ses études à Mauriac pendant quatre ans.

▼ *À la sortie du collège, les enfants, qui ont dû obéir et rester de longues heures assis, se détendent. Là on discute, ici on court. Des bagarres éclatent.*

▶ **Le marchand de petits gâteaux, les échaudés. « Échaudés, échaudés, crie-t-il, achetez mes échaudés pour être aimé. »**

Travailler

Travailler est le destin de presque tous les enfants du peuple. À sept ans, l'enfant revêt le costume des adultes : chemise de toile, culotte pour le garçon, jupon et robe pour la fillette, manteau et sabots pour sortir, sans oublier le chapeau ou le bonnet. Ils sont alors considérés comme capables de travailler.

Les plus chanceux sont associés au travail des parents et, avec les années, ils prennent des responsabilités : la fille aide sa mère aux travaux de la cuisine, au jardin, elle apprend à filer. Le petit garçon est dans l'ombre du père, il s'occupe du bétail, ramasse les branchages. À l'atelier, l'enfant apprend les premiers gestes du travail avec son père. Tous ces travaux déforment les petits corps. Les boiteux et les bossus sont nombreux.

Pour d'autres, parce que les parents n'ont plus les moyens de les nourrir, il faut aller travailler dans une autre maison comme apprenti, berger ou servante. C'est ce qu'on appelle « être loué ». L'autorité du père est remplacée par l'autorité du maître. Les bons maîtres existent, ils sont justes et apprennent le travail bien fait, mais beaucoup de patrons profitent de cette jeune main-d'œuvre sans défense, dont la famille est éloignée.

Pour les enfants des villes, travailler c'est souvent rejoindre les nombreux enfants ouvriers dans les manufactures* qui viennent d'ouvrir : tapisseries, papiers peints, industries textiles. Pour quatre ou cinq sous, le tiers du salaire d'un homme robuste, les enfants passent dix à douze heures dans le bruit des machines. La discipline est sévère, les punitions corporelles, habituelles.

▶ **Petits cireurs de chaussures ou décrotteurs avec leurs tabourets.**

D'autres grossissent la foule des jeunes garçons et filles qui, à tous les coins de rues, proposent leurs services : décrotteurs* avec leurs escabeaux sur le dos, vendeuses d'oranges, vendeurs de petits pâtés au panier bien rempli, ramoneurs tout noirs de suie... Ils attendent au coin de la rue, en jouant ou en plaisantant, qu'on les choisisse pour nettoyer le bas d'une robe, porter une lettre, coller des affiches... C'est la masse des gagne-deniers*. Il suffit au bourgeois de passer le nez à la fenêtre et de héler l'un d'eux pour son service.

▲ **La manufacture d'indienne des frères Wetter à Orange emploie, comme toutes les industries textiles, de nombreux enfants aux doigts habiles.**

GÉRAUD

LE PETIT BERGER

Septième enfant d'une famille de pauvres paysans auvergnats, Géraud n'a pas eu la chance de connaître sa mère. Elle est morte en lui donnant la vie. Son père s'est remarié et c'est sa sœur aînée qui s'est occupée de lui, quand elle en avait le temps. Il doit avoir huit ou dix ans, il ne sait pas exactement. Il sait seulement qu'il est né le jour de la Saint-Jacques, l'année où l'été fut si froid.

Trop pauvre pour le garder à la ferme, son père a décidé de le louer comme berger chez un paysan de Vie, à quelques lieues* de son village. Il est responsable du troupeau de moutons. En compagnie du chien, il passe sa journée dehors. Son maître lui donne pour toute nourriture un pain de seigle et un oignon. Il complète ce maigre repas avec des noisettes, des cerises ou des pommes, parfois des œufs gobés crus et dénichés grâce à son habileté. Les jours se suivent et se ressemblent : se lever de bon matin et partir, quel que soit le temps, conduire le troupeau au pré, prendre garde qu'aucun mouton ne s'échappe ou ne broute l'herbe du voisin, le soir, compter les bêtes avec soin pour éviter toute contestation du maître. Géraud sait rompre la monotonie des heures : la chasse aux lézards lui plaît, il sait apprivoiser les oiseaux, il connaît l'emplacement de tous les nids. Il a surtout pour compagnon son brave chien et sa musette. Une petite bergère partage parfois ses jeux et ils se donnent du courage quand les orages éclatent et que la tentation est grande de rentrer se mettre

◄ *Les paysans fabriquent leurs propres jouets en bois : flûte, sarbacane, charrettes.*

▲ *Le loup est un animal féroce, il fait peur. Il est le personnage central de nombreux contes.*

à l'abri. Mais quand le soir tombe, il a toujours peur des loups et des méchantes fées qui peuvent lui jeter des sorts.

Au souper, il se tient au bout de la longue table sous l'autorité du premier valet. Une fois la soupe avalée avec un morceau de lard et quelques choux, il a encore faim. Souvent, la maîtresse lui donne, en cachette, un morceau de jambon ou un fruit. La nuit, il pleure en songeant à ses frères et sœurs placés comme lui dans les fermes ou partis sur les routes chercher du travail.

▼ **Chevaux de bois à bascule et moutons à tirer plaisent aux plus petits.**

Jouer

Même considéré comme un adulte, l'enfant profite de tous ses instants de liberté pour jouer. Les jouets sont réservés aux familles riches mais les jeux sont l'affaire de tous.

Le premier jouet est le hochet qui aide à percer les dents : en bois, en ivoire ou en cristal, il distrait l'enfant et rafraîchit la bouche. Le petit enfant aime le moulinet qui, au moindre souffle, imite le mouvement des ailes du moulin. Le tambourin, le cheval de bois qu'on tire avec un fil, la poupée de chiffon, tout comme la crécelle*, sont aimés autant des garçons que des filles.

Avec l'âge, les jouets sont différents selon le sexe. Les filles jouent à la poupée que l'on habille, les garçons, aux soldats de plomb et aux chevaux à bascule. Les enfants sages exercent leur patience en construisant des châteaux de cartes, en faisant tournoyer la toupie, et toute la famille se retrouve autour du jeu de l'oie ou des dominos.

Les premiers jeux éducatifs font leur apparition : globe terrestre, jeux de l'oie historiques ou géographiques.

◀ La marchande de jouets parcourt les rues : « Pleurez, pleurez petits enfants, vous aurez des moulins à vent et des hochets. »

▲ Colin-maillard est un jeu aimé des petits et des grands.
Les yeux bandés, il faut attraper une personne et la reconnaître.

Lanternes magiques et même journaux font la joie des petits et des grands. « L'Ami des enfants » comporte des récits de morale, des contes, des petites scènes de théâtre qui pouvent être jouées à plusieurs.

Les jeux d'extérieur varient selon les saisons. Les garçons jouent aux quilles et à la marelle, se dépensent dans de chaudes batailles de boules de neige, ou en glissades sur la glace. La balle et le ballon, la corde sont toujours très appréciés. Les filles doivent éviter de s'agiter. Adolescentes, elles aiment la balançoire. Tous se retrouvent pour jouer avec les adultes à colin-maillard.

Mais les jeux sont aussi affaire d'imagination : une flûte d'écorce de châtaignier, une sarbacane de sureau, un arc de saule, des bulles de savon le jour de la lessive, des osselets. Chiens, coccinelles, sauterelles sont des compagnons de jeux pour les petits campagnards. Caniches, canaris et chats sont familiers aux enfants de la bourgeoisie. Bientôt la musique, la danse, la chasse, la pêche et la baignade remplaceront ces jeux d'enfants.

▲ **Cerfs-volants et moulins à vent sont des jeux d'été.**

LOUIS

LE FILS D'UN GRAND NOBLE

Louis vient de fêter ses dix ans. Il est l'aîné d'une grande famille de France et a conscience, malgré son jeune âge, de la nécessité de tenir son rang. Sa nourrice a été sa véritable mère, elle lui a appris ses premiers mots, les comptines, l'hygiène et les prières. Une gouvernante continue ensuite son éducation.

Il a su très tôt vivre dans la solitude. Ses parents, qui habitent à la cour de Versailles, s'occupent peu de lui. Le seul souci de son père est son éducation, qu'il veut excellente. Son précepteur*, un abbé, lui a donné la première instruction et les principes de la religion. Il vient d'entrer comme pensionnaire au collège Louis-le-Grand, à Paris, l'un des meilleurs de France, dirigé par les jésuites*.

Il dispose d'un appartement chauffé et d'un mobilier de luxe : tapisseries, petits meubles à sa taille, vaisselle d'argent. Deux pièces tiennent lieu de logement au précepteur et à ses domestiques

◄ ***Louis est élevé par une gouvernante.***

◄ *Cour principale du collège Louis-le-Grand, l'un des plus célèbres de Paris. Tenu par des religieux, il permet aux enfants de la noblesse de recevoir une excellente éducation et il possède un internat.*

(valet de chambre et laquais). Les services d'une lingère, d'un perruquier* et d'un homme de ménage sont fournis par le collège.

Levé tôt, il récite ses prières, avale un morceau de pain sec, et sa journée commence par la messe. Il enfile son habit de ratine sur une culotte de drap gris et se dirige vers la classe d'étude. Il apprend le latin, le grec, l'histoire, le droit, l'anglais, les mathématiques et quelques rudiments de géographie. Des professeurs particuliers viennent, chez lui, lui donner des cours de dessin et de danse.

Louis prend ses repas à la cantine : bouillon, côtelette de veau ou de mouton, épinards et pomme cuite composent son ordinaire. Les jours de sortie, après avoir revêtu un costume en drap vert galonné d'argent et coiffé son chapeau tricorne, l'épée au côté, il se rend à la salle d'escrime ou au jeu de paume.

Il n'est pas rare que des parties de dés ou de cartes s'organisent entre collégiens fortunés et l'on peut y perdre tout son argent de poche en une soirée. Louis ne voit ses parents qu'une fois par an, aux vacances. Il les rejoint au château de Fourchette, leur résidence d'été sur les rives de la Loire. Que de parties de colin-maillard dans le parc en perspective ! Et bientôt, il pourra participer avec son père à la chasse.

▼ *Le jeu de paume est l'ancêtre de notre tennis. Il se joue avec une balle et une raquette contre un mur. Les salles de jeu de paume sont très nombreuses à Paris et en province.*

▲ **L'Épiphanie est l'une des fêtes familiales les plus importantes. Présidée par le père ou le grand-père, on distribue les parts de brioche.**

Veillées, fêtes et carnavals

La fête des Rois, la Chandeleur, Mardi gras, la Saint-Jean, la Saint-Nicolas, Noël, rythment l'année. On compte une cinquantaine de jours où le pays est en fête ; les enfants y ont leur part de joie.

Noël est avant tout une fête religieuse marquée par la messe de minuit. Au retour, un repas peu ordinaire, en raison de son abondance, attend la famille : viande, légumes à volonté, beignets de pommes, sucreries à base de miel. Le repas des Rois, le 6 janvier, jour de l'Épiphanie, débute par la galette. Les enfants distribuent les parts de gâteaux et, la fève découverte, on s'empresse de fêter le Roi, sans oublier de donner aux vendeurs de couronnes le morceau de gâteau qui reste, appelé « la part du pauvre ». Pâques est l'occasion de grandes réjouissances. La veille, les enfants ont

▲ La veillée réunit autour du feu plusieurs familles.
Elles ont lieu l'hiver, les enfants jouent, les femmes filent, les hommes font des paniers.

La nuit de la Saint-Jean, on allume un grand feu de bois sur la place du village et on danse pour fêter la nuit la plus courte de l'année.

fait la quête des œufs pour l'omelette pascale. Avec la Saint-Jean, on fête l'été. Ce sont les feux de joie, la danse et les feux d'artifice. Mais une des plus grandes fêtes, c'est Mardi gras. Masques, déguisements, musique, parade amusent petits et grands. Ce jour de carnaval, tout est permis, même l'insolence.

Pendant ces fêtes populaires, beaucoup d'enfants se perdent. À Paris, on ouvre spécialement un « bureau pour les enfants perdus ». À la campagne, l'hiver, les veillées ont lieu à tour de rôle dans chaque foyer. Se réunir entre voisins, bavarder, chanter, échanger les nouvelles, est un plaisir toujours renouvelé. Mais on ne perd jamais son temps : on file la laine, on tresse l'osier pour faire des paniers, on sculpte des coffres en bois, on trie les noix, on pèle les châtaignes. Les enfants apprennent les gestes les plus simples. On chante, on raconte des histoires de seigneurs trompés, de paysans malins, de diable tout-puissant.

Carnaval est l'occasion pour tous de s'amuser : musique, déguisements, tintamarre.

Quelques années plus tard

Été 1790

À la fin du XVIIIe siècle, tous les Français sont mécontents. Les mauvaises récoltes ne permettent plus de nourrir la population. C'est la famine. Le roi Louis XVI refuse les réformes politiques et les riches ne veulent pas perdre leurs privilèges. Le peuple se révolte dans les campagnes et dans les villes, ce qui aboutit, le 14 juillet 1789 à Paris, à la prise de la Bastille. Pour calmer les opposants, le 4 août 1789, les députés décident la suppression des privilèges et adoptent quelques jours plus tard, le 26 août, la Déclaration des droits de l'homme : « Tous les hommes naissent libres et égaux... » Le 14 juillet 1790, on fête la paix, c'est la fête de la Fédération au Champ-de-Mars.

Louis vient de sortir du collège. Il sait que, depuis le 4 août 1789, rien ne sera plus comme avant. Beaucoup d'amis de ses parents ont quitté la France. Son père songe à gagner l'Angleterre. Il a peur mais il est surtout en colère. Il aime le roi et le soutient. Il rêve de retrouver ses privilèges dans le royaume de France.

◀ ***Défilé de la fête de la Fédération à Paris le 14 juillet 1790.***

Marie, depuis plusieurs mois, a appris à faire la queue devant les magasins pour le ravitaillement. Sa mère, en raison de la pénurie de savon, ne travaille pas tous les jours depuis les troubles. Ensemble, elles ont assisté à la fête de la Fédération avec émerveillement et parfois, toutes les deux, elles vont aux assemblées de femmes. Elles en reviennent les yeux brillants, des idées plein la tête : « À travail égal, salaire égal », « Faudra-t-il toujours travailler, obéir et se taire ? » Mais beaucoup d'hommes pensent que ce n'est pas digne d'une femme de parler ainsi en public. Et le soir, le père se met toujours en colère si la soupe n'est pas chaude.

▲ ***Anne se marie. La fête est somptueuse dans le parc du château.***

Anne vient d'épouser un magistrat. Son mari est l'un des hommes de la Révolution. Malgré son jeune âge, il a été élu à l'assemblée des États généraux comme représentant du tiers état* de la province. Il a rédigé les cahiers de doléances* de la ville et soutient les nouvelles idées. Bientôt un bébé naîtra, qu'Anne souhaite appeler Olympe ou Hyppolite.

Thomas, au séminaire de Toulouse, a découvert l'art de la discussion. Il s'intéresse aux réformes de l'Église proposées par les hommes de la Révolution. Il a maintenant une certitude : il ne sera pas prêtre, il sera écrivain.

Géraud a participé à la jacquerie* de juin 1789, il a brûlé les registres du château du seigneur, et s'est enivré avec le vin de la cave. Son maître, le fermier, s'est enrichi. Il s'apprête à acheter de nouvelles terres. Mais Géraud ne s'intéresse pas à tout cela. Il a une crainte : il a entendu dire que, bientôt, il faudrait parler français. Il le comprend un peu mais, le parler, quelle barbarie ! Enfin, les moutons comprendront toujours le patois...

Noël a été l'un des premiers et des plus jeunes manifestants au faubourg Saint-Antoine, dès 1788. Il est devenu expert dans l'art de la barricade*. Il participe à toutes les manifestations et aux réunions de quartier où l'on discute des événements politiques. Il apprend à lire et à écrire.

▲ ***Barricade en juillet 1789 au faubourg Saint-Antoine.***

Lexique

Abécédaire : premier livre où l'on apprend l'alphabet et les premiers sons.
Âge de raison : âge auquel on considère que l'enfant a toute sa capacité de jugement et devient donc responsable.
À la criée : vente dans la rue, les vendeurs crient le nom des produits pour attirer l'attention des acheteurs.
Barricade : amas d'objets dans une rue qui permet de se protéger pour mener un combat.
Cahiers de doléances : cahiers où sont notés en 1789 les plaintes et les désirs des Français dans chaque paroisse.
Chaise percée : chaise avec un trou dans lequel on place un pot pour faire ses besoins.
Charge : fonction que l'on ne peut exercer qu'après l'avoir achetée et en payant un droit au roi (avocat, notaire, juge...).
Compagnon : grade dans un métier entre l'apprenti et le maître.
Corset : haut de robe constitué d'une armature de fer rigide et recouvert d'un tissu.
Crécelle : moulinet qui tourne en faisant du bruit.
Décrotteurs : garçons qui nettoient les chaussures, les bas ou les robes dans les rues ou les hôtels. Une sellette ou escabeau, un décrottoir, un polissoir, une brosse, un peu de cire constituent leur matériel.
Dot : somme d'argent ou différents biens qu'une femme apporte à son mari en se mariant.
Gagne-deniers : celui qui a un petit métier, payé à la pièce ; le denier étant la monnaie la plus petite correspondant à notre centime.
Galetas : logement misérable dans les greniers, glacial l'hiver, très chaud l'été.
Jacquerie : révolte de paysans (surnommés les Jacques depuis le Moyen Âge).
Jésuites : ordre religieux de la Compagnie de Jésus.
Jours maigres : jours où l'Église interdit de manger de la viande, les vendredis ou période de carême.
Lieue : mesure de distance, environ quatre kilomètres.
Limbes : lieu où séjournent les âmes des enfants morts non baptisés.
Magistrats : personnes qui rendent la justice.
Manufacture : usine utilisant peu de machines et beaucoup de main-d'œuvre, produisant des objets de bonne qualité.
Matrone : femme dans le village qui fait tous les accouchements, en raison de son expérience.
Parlement : cour de justice installée dans les grandes villes du royaume.
Patois : dialecte, parler local utilisé dans les provinces.
Perruquier : coiffeur qui vient à domicile entretenir et poser les perruques ou tout simplement coiffer.
Précepteur : personne chargée de l'éducation et de l'instruction d'un enfant et payée par la famille.
Salve optime Pater (latin) : Salut ô toi le meilleur père.
Séminaire : établissement où étudient les futurs prêtres.
Tiers État : le troisième état ou ordre, groupe social regroupant toutes les personnes non nobles et n'appartenant pas à l'Église (paysans, artisans, bourgeois).
Ursulines : ordre religieux de femmes installé en France dès 1611.
Variole : maladie contagieuse virale qui se caractérise par des pustules rougeâtres.

CRÉDITS PHOTOGRAPHIQUES

p. 8, *le bonheur du ménage*, Paris, © Bibliothèque Nationale de France ; p. 9, *la blanchisseuse* de Chardin, Stockholm, © National Museum ; p. 10, *le baptême administré par la sage-femme*, Paris, © Bibliothèque Nationale de France ; p. 11, *c'est un fils, Monsieur*, Paris, © Bibliothèque Nationale de France ; p. 12 (haut), *le philosophe charitable*, Paris, © Bibliothèque Nationale de France ; p. 12 (bas), *registre*, Troyes, © Archives départementales de l'Aube ; p. 13, *enfant abandonné*, Paris, © Bibliothèque Nationale de France ; p. 14 (haut), *à ramoner du haut en bas*, Paris, © Bibliothèque Nationale de France ; p. 14 (bas), *planche de l'encyclopédie, la pâtisserie*, Paris, © Bibliothèque Nationale de France ; p. 15, *la toupie*, Paris, © Bibliothèque Nationale de France ; p. 16 (haut à gauche), *la privation sensible*, Paris, © Bibliothèque Nationale de France ; p. 16 (haut à droite), *la récolte des fruits*, Paris, © Bibliothèque Nationale de France ; p. 16 (bas), *la maman*, Paris, © Bibliothèque Nationale de France ; p. 17 (haut), *le bénédicité*, Paris, © Bibliothèque Nationale de France ; p. 17 (bas), *le repas de campagne*, Paris, © Bibliothèque Nationale de France ; p. 18, *mère et fille autour d'un poêle*, Paris, © Bibliothèque nationale de France ; p. 19, *le conducteur d'ours*, Paris, © Bibliothèque Nationale de France ; p. 20, *je me mets à rire, tout le monde rit*, Paris, © Bibliothèque Nationale de France ; p. 21 (haut), *jeune mère faisant la toilette à son enfant*, Paris, © Bibliothèque Nationale de France ; p. 21 (bas), *les premiers pas de l'enfance*, Paris, © Bibliothèque Nationale de France ; p. 22, *le déjeuner de François Boucher*, Paris, © RMN ; p. 23, *l'occupation selon l'âge*, Paris, © Bibliothèque Nationale de France ; p. 24, *l'école des filles*, Paris, © Bibliothèque Nationale de France ; p. 25 (haut), *l'école des garçons*, Paris, © Bibliothèque Nationale de France ; p. 25 (bas), *abécédaire*, Paris, © Bibliothèque Nationale de France ; p. 26 (haut), *châtiment à l'école*, Paris, © Bibliothèque Nationale de France ; p. 26 (bas), *la jeune maîtresse* de Chardin, Londres, © National Gallery Picture Library ; p. 27 (gauche), *H.A. Du Bertrand, principal de Navarre*, Paris, © Bibliothèque Nationale de France ; p. 27 (droite), *la gouvernante*, Ottawa, Musée des Beaux-Arts du Canada ; p. 28, *père et sa famille*, Paris, © Bibliothèque Nationale de France ; p. 29, *la sortie du collège*, Paris, © Bibliothèque Nationale de France ; p. 30, *le marchand d'échaudé*, Paris, © Bibliothèque Nationale de France ; p. 31 (haut), *diverses petites figures des cris de Paris*, Paris, © Bibliothèque Nationale de France ; p. 31 (bas), *manufacture des frères Wetter*, Orange, © Musée municipal ; p. 32 (haut), *enfant et chien*, Paris, © Bibliothèque Nationale de France ; p. 32 (bas), *cep de vigne*, Paris, © Bibliothèque Nationale de France ; p. 33, *loup*, Paris, © Bibliothèque Nationale de France ; p. 34 (gauche), *enfant sur un cheval de bois*, Paris, © Bibliothèque Nationale de France ; p. 34 (droite), *l'exemple des mères*, Paris, © Bibliothèque Nationale de France ; p. 35, *moulins à vent*, Paris, © Bibliothèque Nationale de France ; p. 36, *colin-maillard*, Paris, © Bibliothèque nationale de France ; p. 37, *le cerf-volant*, Paris, © Bibliothèque Nationale de France ; p. 38, *gouvernante d'enfants*, Paris, © Bibliothèque Nationale de France ; p. 39 (haut), *collège Louis-Le-Grand*, Paris, © Bibliothèque Nationale de France ; p. 39 (bas), *la paume*, Paris, © Bibliothèque Nationale de France ; p. 40, *l'hiver*, Paris, © Bibliothèque Nationale de France ; p. 41, *veillée*, Paris, © Bibliothèque Nationale de France ; p. 42 (haut), *le feu de la St Jean*, Paris, © Bibliothèque Nationale de France ; p. 42 (bas), *le carnaval des rues de Paris*, Paris, © Bibliothèque Nationale de France ; p. 43, *fête de la Fédération*, Paris, © Bibliothèque Nationale de France ; p. 44 (haut), *la noce au château*, Paris, © Bibliothèque Nationale de France ; p. 44 (bas), *barricade Faubourg Saint-Antoine*, Paris, © Bibliothèque Nationale de France.

Achevé d'imprimer sur les presses de Proost en Belgique
Dépôt légal : septembre 2001
ISBN : 2-7320-3700-1